DISNEP
PRINCESS
ACTIVITY BOOK
WORD SEARCH

bendon®

The BENDON name, logo, and Tear and Share are
trademarks of Bendon, Inc. Ashland, OH 44805

Cinderella

Word List

- CINDERELLA
- TEMPER
- SWEET
- STEPMOTHER
- SCOLDED
- PROUD
- PRINCE
- MARRIED

- HOUSEWORK
- GOODNESS
- DAUGHTERS
- WOMAN
- BEAUTIFUL
- BALL
- WIFE
- VAIN

Cinderella

```
I  L  H  N  Q  D  V  P  R  I  N  C  E  E
M  V  Z  S  U  U  D  A  J  C  R  R  G  Y
V  W  L  O  W  H  S  C  I  I  K  I  T  Z
S  C  R  P  B  E  T  I  I  N  G  R  E  F
C  P  P  R  E  P  E  A  O  D  O  X  M  G
O  H  E  D  A  D  P  T  P  E  O  U  P  K
L  Y  R  A  U  Z  M  M  A  R  D  U  E  Y
D  F  X  U  T  W  O  F  G  E  N  S  R  M
E  X  K  G  I  O  T  V  B  L  E  Q  I  W
D  N  Y  H  F  M  H  E  A  L  S  N  W  I
X  D  S  T  U  A  E  P  L  A  S  P  M  F
E  G  U  E  L  N  R  F  L  N  R  V  G  E
R  A  V  R  G  H  O  U  S  E  W  O  R  K
J  O  O  S  W  M  A  R  R  I  E  D  L  R
```

THE ✾ LITTLE MERMAID

Word List

- ❤ MERMAID
- ❤ WORLD
- ❤ TRITON
- ❤ SIXTEEN
- ❤ SEVEN
- ❤ SEASHELL
- ❤ PRINCESS
- ❤ KING

- ❤ HUMANS
- ❤ FATHER
- ❤ FASCINATION
- ❤ DAUGHTERS
- ❤ CURIOUS
- ❤ ARIEL
- ❤ ADVENTUROUS
- ❤ BIRTHDAY

THE LITTLE MERMAID

```
U P M H U M A N S U R O F A
O R I J Q O D M X E S Z A B
X I W O R L D I H U E A S I
S N E Y D Q X T O Y U R C R
E C V S R X A R J X E G I T
A E G I L F U B L T C K N H
S S T X U T K E H R M N A D
H S E T N V I G U I E R T A
E I P E O R U U S T R Z I Y
L K V E A A Y W E O M T O S
L D V N D Z N U V N A M N J
A K I N G P O P E X I B E O
Z Q G R W P H R N L D P A G
T V L I C D C U R I O U S O
```

Beauty AND THE BEAST

Word List

VILLAGE

TOWNSPEOPLE

SMART

READ

PAPA

ODD

LOVE

KNOWLEDGE

IMAGINATION

GASTON

COMPASSIONATE

BELLE

BEAUTY

BEAUTIFUL

BEAST

ADVENTURES

Beauty AND THE BEAST

```
X W B K Q B E X D L Q T P S
I H O E E G J S B K I C F S
O P V V A U O T E N O O D H
T O O L L U L K A O D M I D
Z L L P R Y T W S W J P M G
Z I O X V V R Y T L N A A A
V A D V E N T U R E S S G S
S M A R T R E A D D P S I T
P A P A M G F B R G D I N O
Q E O P B F H U O E D O A N
T O W N S P E O P L E N T K
W Y C O Y B E L L E U A I P
F M B E A U T I F U L T O X
Z O F O D D L T T M I E N Q
```

Aladdin

Word List

- ALADDIN
- WISHES
- TIGER
- PRINCESS
- PRINCE
- PALACE
- MONKEY
- MARKETPLACE

- MAGIC
- LAMP
- JASMINE
- JAFAR
- GENIE
- CARPET
- ALI
- ABU

Aladdin

```
H X Q W W I S H E S X N K Y
A L I G K Y X L A M P T M G
M G S G E G K W I T B B O P
P A L A C E A W J J K L N J
J M A R K E T P L A C E K A
B Z E N U T L D I S R L E F
T U H B H W V N V M E C Y A
X I A S I P L O L I H A M R
R K G A I T R V A N I R A L
G Q N E O W T I Z E B P G U
E V B R R O G O N N O E I L
N P R I N C E S S C T T C W
I L E A L A D D I N E I J T
E J T R M Q Q L W O T C R V
```

Sleeping Beauty

Word List

- INFANT
- GOOD
- CHRISTENING
- AURORA
- BETROTHED
- KING
- FAIRIES
- THRONE
- SUNSHINE
- PRINCESS
- PRINCE
- PHILLIP
- MERRYWEATHER
- FAUNA
- FLORA
- HUBERT

Sleeping Beauty

```
F A I R I E S S G A I U D G
J M Z K I N G U O Q P Z F O
J Z E T W A S N Y T R I A O
H J C R V D D S D E I O U D
Z B H Z R D X H D K N E N U
A E R P K Y P I X I C O A Q
U T I H I Y W N P X E Q Y C
R R S I N X Y E Q S S M X P
O O T L F Q N V A M S Y H R
R T E L A L A F Y T F C U I
A H N I N K O C L T H I B N
W E I P T N O R H Q M E E C
L D N U U U Z U A F K U R E
Y W G I T H R O N E S J T X
```

Snow White
and the Seven Dwarfs

Word List

- WOODS
- WICKED
- WALL
- VAIN
- STEPMOTHER
- SNOW WHITE
- SERENADE
- QUEEN

- PRINCESS
- PRINCE
- MIRROR
- JEALOUSY
- HUNTSMAN
- FAIREST
- CRUEL
- BEAUTY

Snow White
and the Seven Dwarfs

```
C J E A L O U S Y Z F R J W
R B Q P M A X E Y R G J N I
U Q D U R I C R E I S C D C
E I W I E N R H X J E S F K
L H J M I E T R B F R N P E
R S U R U O N W O N E O R D
L G P N M G I O V R N W I W
T T S P T W N O Y D A W N A
Q K E A L S K D C A D H C L
B T F R Z U M S Y I E I E L
S D M T I Y V A A W K T S W
I M Y B Y Q R T N O W E S C
Y V A I N K X H S C M X N R
B E A U T Y S F A I R E S T
```

Disney · PIXAR
BRAVE

Word List

♥ SCOTLAND	♥ MERIDA
♥ KING	♥ BOW
♥ FERGUS	♥ ARROWS
♥ QUEEN	♥ ANGUS
♥ ELINOR	♥ FOREST
♥ BEAR	♥ FREEDOM
♥ MOR'DU	♥ LESSONS
♥ DAUGHTER	♥ PRINCESS

Disney · PIXAR

BRAVE

```
D A B E L I N O R I C R T O
O R I M V Z M T M O R D U S
U R A T L N Z Q K A E E S U
J O J E G F Q E D N A E F D
A W Y N D P G I I C C X H I
N S I H S F R M E N L H B Y
G K R L Y E O H I C P R E R
U F J E M W B R S O O L A R
S R B S O N P U E B O V R Q
B E G S T T O Q L S X B L L
B E Y O Q U E E N E T O W Y
O D L N P D A U G H T E R J
W O K S C O T L A N D W T X
P M F E R G U S I A X H D L
```

© Disney

Tangled

Word List

- RAPUNZEL
- SUNLIGHT
- GOLDEN
- FLOWER
- MAGICAL
- MOTHER
- GOTHEL
- DISCOVER

- YOUNG
- KEEP
- BABY
- ROYAL
- HEALING
- STEAL
- LOCKED
- TOWER

Tangled

```
K D S Y S H F M P T S I E C
I N V O V U J Z N C T D W E
H U G U D P N E R Q O W V D
B M G N V G D L I V W U F I
A A A G Q L O V I D E Z U S
R S R G O J L T F G R Y G C
O T A G I N R J H H H S L O
Y E P V I C V E U E O T O V
A A U D F B A B Y A L T C E
L L N Z L T R L P L P X K R
C T Z R O O V E W I J Z E R
X M E T W V E Z P N Y Z D H
V B L A E K T I I G C T I K
H S D Q R Z N D M O T H E R
```

THE PRINCESS AND THE FROG

Word List

 WEDDING

 TIANA'S PALACE

 SUGAR MILL

 RESTAURANT

 PRIESTESS

 MIDNIGHT

 MALDONIA

 LOTTIE

 LAWRENCE

 JAZZ

 BLUES

 HARD WORK

 EVIL CURSE

 EVENING STAR

 EVANGELINE

 BALL

THE PRINCESS AND THE FROG

```
W J M P R I E S T E S S K A
E F A M I D N I G H T V E R
V W L L E L O T T I E C K E
E E D R F V C S E H A N E S
N D O R E I A C B L D S O T
I D N M O V N N A N E Y A A
N I I N U E I P G U H Z I U
G N A E R S S L L E Z M X R
S G I W L A J B C A L V J A
T P A L N U I E J U I I L N
A L A A W O K A V W R B N T
R B I U O J T U L E D S G E
O T T Y H A R D W O R K E R
W U S U G A R M I L L D N H
```

MULAN

Word List

- TROOP
- SHAN-YU
- NOTICE
- MULAN
- MISHAP
- MATCHMAKER
- MARRIAGE
- HUNS

- HONOR
- GENERAL
- FAMILY
- EMPEROR
- DEFEAT
- CRICKET
- COMMANDS
- CHINA

MULAN

```
Q K M U L A N A V L O R R I
X K C R I C K E T D E B W S
W M T C H I N A Y K U W D H
V S C R I S E R A W L N N Y
G E N E R A L M L R A M E R
X F Z B J X H P H M G G W G
Z Y N Z C C A R M U A P P Q
W V I W T H O O Y I N X W O
P U I A S R C N R M H S K U
U P M I E D A R D E F E A T
P M M P Q H A D N O T I C E
G T M H S M F X F A M I L Y
G E A R S S R F E H O N O R
A F T R O O P G W G I Y G H
```

POCAHONTAS

Word List

- JOHN SMITH
- SHIP
- LEAVES
- WEAPONS
- HANDSOME
- GOLD
- SETTLERS
- SEARCH

- SAIL
- FOREST
- RICHES
- FIGHT
- POCAHONTAS
- CAPTAIN
- MATERIAL
- AMERICA

POCAHONTAS

```
O P C A P T A I N Y R Y X H
K K O W C I Y U X W I R J A
S L M C J Y A A A E C L B N
V N E A A X X U U A H P F D
G G U A T H P W Q P E S O S
V J A B V E O I T O S H R O
Q D O Z S E R N J N F I E M
R V S H D E S I T S Q P S E
L V E U N L T H A A Q I T X
P Q A V N S G T C L S S F W
G H R Y R I M G L A M A W H
O V C E F K P I C E B I D Z
L N H V K L F U T P R L E F
D X A M E R I C A H K S B S
```

Cinderella

Word List

- WIFE
- GODMOTHER
- WARDROBES
- FAIRY
- TAUNTED
- DESPAIR
- STEPSISTERS
- COACH

- PUMPKIN
- CINDERELLA
- MAIDENS
- BALL
- LAND
- ATTEND
- INVITED
- APPEARED

Cinderella

```
I  N  V  I  T  E  D  D  R  A  A  R  Y  F
L  B  V  T  G  V  E  G  P  X  T  V  G  A
A  V  K  L  D  R  W  C  L  Y  T  C  O  I
L  K  I  W  A  R  D  R  O  B  E  S  D  R
W  W  D  E  S  P  A  I  R  M  N  O  M  Y
R  Q  P  P  B  A  S  P  I  B  D  B  O  J
A  P  M  D  P  U  M  P  K  I  N  O  T  P
A  S  T  E  P  S  I  S  T  E  R  S  H  M
P  J  O  E  X  C  O  A  C  H  Z  I  E  A
T  L  F  G  R  N  F  I  Q  F  S  B  R  I
P  I  A  E  T  U  T  A  U  N  T  E  D  D
W  C  I  N  D  E  R  E  L  L  A  H  D  E
F  B  Z  K  D  P  X  M  B  A  L  L  W  N
H  I  E  U  S  T  G  B  A  F  W  K  Y  S
```

THE LITTLE MERMAID

Word List

- WITCH
- LIFE
- VOICE
- LEGS
- URSULA
- GROTTO
- SECRET
- FLOUNDER

- SEBASTIAN
- ERIC
- SEA
- CRAB
- SAVE
- COLLECTION
- PRINCE
- ARIEL

© Disney

26

THE LITTLE MERMAID

```
X H P D E Y Z A R I E L L V
P R K U R S U L A V P W E C
R L F L O U N D E R O N G I
I V E U I G M F W O P I S B
N T A O P R Q L I F E C C Y
C N A G L T G S T F N O C E
E X H R X S H E C M S L T S
S O I O T E T B H U K L J A
A E Y T V C B A D O A E S V
U R G T U R W S Q I H C E E
T I L O B E Q T D Z H T A S
P C Z A A T W I O D K I A C
L D R C U R K A K E P O K Z
E C V U B Y K N G X Q N O H
```

Word List

♥ MYSTERIOUS	♥ LOCKED
♥ FAIR	♥ BOLDNESS
♥ MISSING	♥ INVENTOR
♥ DUNGEON	♥ BELLE
♥ MAURICE	♥ FRENCH
♥ CASTLE	♥ BEAST
♥ LOST	♥ FREEDOM
♥ BRAVERY	♥ ALONE

Beauty AND THE BEAST

```
M A U R I C E M I S S I N G
I F H A T E N V I W G G K P
K A O V S F D S N C G M Z I
D L R Y E R S M V A R Y E J
C O P F W E Q F E S S S E F
Y N S H N E Z G N T K T H A
K E K D C D C Y T L J E C I
Y H L J I O C N O E F R L R
E O W S C M V L R J C I O G
B R V D U N G E O N M O C G
E B H L B R A V E R Y U K C
L H G L O S T G A E T S E P
L I L I F N F R E N C H D C
E K I G X L S N B E A S T Z
```

Aladdin

Word List

- VILLAGE
- LOVE
- SULTAN
- JASMINE
- SKY
- IAGO
- RIDE
- HIDDEN

- RAJAH
- DARK
- PARROT
- CAVE
- NIGHT
- ALADDIN
- MARRIED
- AGRABAH

Aladdin

```
M A T T Y T Q Q R I D E F Q
C S Y Z F C A V E F B M E T
Y Q J V N S U L T A N G F C
U M Z D N O E X D Q A J A M
E P C Z G P I O R L T U A J
S X W A H A J Z L T Q R K G
K B I Y W R N I G H T A T F
Y L J C X R V Z O A A J M P
M C Q A U O U E K G L A A F
B F Y Z S T Q R Q R A H R M
I G L V G M A H N A D U R D
G T B O O D I L I B D C I Z
O L A N V T Z N B A I N E E
G H I D D E N X E H N U D U
```

Sleeping Beauty

Word List

- ♥ VILLAIN
- ♥ EVIL
- ♥ SONG
- ♥ CURSE
- ♥ ROSE
- ♥ CEREMONY
- ♥ RED
- ♥ BLUE
- ♥ MISTRESS
- ♥ BLESS
- ♥ MALEFICENT
- ♥ BEAUTY
- ♥ GREEN
- ♥ AURORA
- ♥ GIFTS
- ♥ ARRIVE

Sleeping Beauty

```
E V G R E E N Q F Y V J Y J
M L H M Q E R E D B H C W G
U B I A O Q O L C F M E F G
Q E Z L V L S P O A B R E I
P A X E I N E F F X L E C F
J U F F L E A H A Q E M U T
G T A I L E F R U A S O R S
K Y U C A Q U Z R X S N S N
N U R E I H H C K I S Y E Z
M Q O N N F L P N K V O P D
E N R T B D F Q Y P Y E N T
V H A Y L M I S T R E S S G
I V B U U A E T Z D U X U U
L A A D E O F B H A N V A E
```

Snow White
and the Seven Dwarfs

Word List

- HOME
- WOODLAND
- HEART
- WHISTLE
- FLEE
- UNTIDY
- DWARFS
- SNOW WHITE

- DIAMOND
- SEVEN
- COTTAGE
- MINE
- LOST
- BEFRIEND
- INTRUDER
- WORK

Snow White
and the Seven Dwarfs

```
S P Q W G R V Z N W E C W M
E X E O M S B O X Q Q O O W
V A M O B P N N Q O B T R Q
E V I D E K D O R F E T K X
N J N L N T D B W M J A H H
H Y E A C B I L O W L G I X
B W J N G E A H F D H E I U
F E H D X Y M I R L A I N F
H M F I I V O N B H E J T N
E X F R S U N T I D Y E R E
A M Q L I T D Q F Y L V U M
R S S I N E L O B A O X D Q
T F J V Z F N E U Z S T E A
D W A R F S A D U Z T J R T
```

DISNEY · PIXAR
BRAVE

Word List

- CLANS
- MARRIAGE
- UNWILLING
- DUNBROCH
- COMPETE
- ARCHERY
- FLED
- STONES

- MYSTERIOUS
- LIGHT
- WHISPER
- COTTAGE
- CARVER
- WITCH
- WILL O' THE WISP
- WISH

Disney · PIXAR
BRAVE

```
J P D U N B R O C H R H K D
S Y R F Z M A R R I A G E T
C O T T A G E N O M K C Q N
W B C G C T L M G A G O A S
W I L L O T H E W I S P U Z
U P W W I S H L W S B O O C
N C A R C H E R Y W I E W H
W O E F L E D R G R L C Y W
I M F R Z Y E E E S I L E H
L P Y Q K V I T J T G A Z I
L E O N R W S E V O H N S S
I T W A P Y G Z C N T S Y P
N E C Y M V J W W E M A S E
G T G W I T C H H S R X C R
```

Tangled

Word List

- EIGHTEEN
- BIRTHDAY
- LANTERN
- OUTSIDE
- LIGHTS
- HAIR
- WORLD
- DANGER

- MAXIMUS
- HORSE
- CHASE
- FLYNN
- CLIMB
- TOWER
- KNOCK-OUT
- HIDE

Tangled

```
C D A W E F Q P L U D O R C
G L H D K K S E C N Y I T Z
B C I O Q K O I Y A A L O C
M H V M X E E G D H L I W V
A A B G B L M H R V D G E X
X S O L A L T T C I A H R K
I E U X A R J E M H N T S N
M W T H I N M E G O G S E O
U O S B H W T N X R E S Y C
S R I M F J O E R S R R N K
G L D A H I D E R E U Y B O
O D E O P T U S S N M Q F U
B B U S F L Y N N I Y A P T
K J G Y L V T N U Q L D R G
```

THE PRINCESS AND THE FROG

Word List

♥ TIANA	♥ PARADE
♥ MAGIC	♥ FACILIER
♥ RESTAURANT	♥ NEW ORLEANS
♥ LOUIS	♥ CHARLOTTE
♥ RAY	♥ MARDI GRAS
♥ FROG	♥ BAYOU
♥ PRINCE NAVEEN	♥ MAMA ODIE
♥ FIREFLY	♥ ALLIGATOR

THE PRINCESS AND THE FROG

```
H N X F A C I L I E R I M T
P R I N C E N A V E E N R H
H C W H R A N X A E M Y F H
P V R K Y A R N L U A O I E
A Z W A I C E E L N R O R T
R Z C T Y K S W I N D Y E Q
A M H E L Z T O G F I W F N
D A A I B V A R A Q G Z L R
E M R N R F U L T L R G Y H
Z A L Q M R R E O O A D C C
H O O C M O A A R U S D I E
W D T C H G N N B I H G H C
I I T J W T T S F S A D A B
A E E Z B A Y O U M Y T R T
```

© Disney

MULAN

Word List

- FORCE
- WEAPONS
- FA ZHOU
- SWORD
- ENLIST
- SON
- MULAN
- CRI-KEE

- MEDDLING
- CHI FU
- HIDE
- BATTLE
- HAIR
- ARMOR
- GARDEN
- ADVISOR

MULAN

```
W B C N J S V A U V K E Z Y
B Q A D G F F N G V N S C
H A D T M Y I J N R N L X F
D A D K T H A I V G N I S A
S C I V C L L R S W G S O Z
H F Q R I D E X J E A T N H
T I O L D S Z L K A R M X O
F Y D E Y Q O P X P D O M U
Q N M E C X V R D O E P C Q
O S A R M O R R F N N Z K Y
X G X I V D O J O S U J G Z
I Q O G V W R P H M U L A N
K A A U S D C R I K E E Z C
Z P M F O R C E I Z N B F G
```

POCAHONTAS

Word List

- WARRIOR
- MARRY
- TRIBE
- KOCOUM
- THOMAS
- GOVERNOR
- STRONG
- ENCHANTED

- STORM
- DAUGHTER
- POWHATAN
- CHIEF
- POCAHONTAS
- BEFRIEND
- OVERBOARD
- BATTLE

POCAHONTAS

```
E I Z B E F R I E N D D O H
C H I E F B A T T L E A A G
E H G O V E R N O R W U I R
V K B D S S H V W X D G Y D
B P P O W H A T A N R H E W
P O C A H O N T A S J T O C
G Y V T G W K N I J N E V S
S M A R R Y A N T A M R E T
R A T Y K I P R H S S Q R O
S T R O N G B C R A B M B R
K O C O U M N E M I A Q O M
W V H M F E I O P V O I A E
E J R H H W H L J B Z R R Q
A J Y X H T D K B F G A D T
```

© Disney

Cinderella

Word List

- DOORMAN
- ANASTASIA
- DRIZELLA
- ATTIC
- SUZY
- CINDERELLA
- SEW
- BRUNO

- PERLA
- BROOM
- LUCIFER
- BLOSSOM
- JAQ
- BIRDS
- DUKE
- BEADS

Cinderella

```
L W T D N H B V C C U U C R
B B E H X A K O N H M K E D
I E Z U S U P F S O T F L O
R A Y E S W X M S O I L C O
D D B Q W D M S N C V I D R
S S J M D C O U U J T U R M
K K S J B L R L P T W W D A
Y J E R B B Z L A A B S R N
S J V Y B R O O M Q H D I A
R E Z P Z S G E A S P V Z J
V U W D U K E J I B X S E G
S I C I N D E R E L L A L Q
G Q P E R L A G L F N S L B
L A N A S T A S I A Y U A W
```

THE LITTLE MERMAID

Word List

- SNARFBLATT
- SHEEPDOG
- EELS
- SEAGULL
- COMB
- SAND
- ARIEL
- WEDDING
- SAILORS
- VANESSA
- LIFEBOAT
- DINGLEHOPPER
- TRUMPET
- FIRE
- SWIM
- ERIC

THE LITTLE MERMAID

```
H  J  I  M  Q  Y  M  M  O  W  S  B  Q  G
Y  B  D  B  C  F  C  L  K  S  W  W  D  R
N  V  I  J  V  I  L  Q  Z  N  E  H  I  Q
X  W  N  M  R  U  L  Z  P  A  D  K  J  M
X  H  G  E  G  D  I  B  C  R  D  Q  S  I
L  B  L  A  F  U  F  S  O  F  I  Z  A  T
E  R  E  O  M  S  E  H  M  B  N  V  I  J
E  S  H  O  D  A  B  E  B  L  G  A  L  U
L  A  O  F  S  N  O  E  C  A  F  N  O  G
S  R  P  H  Y  D  A  P  C  T  I  E  R  Q
M  B  P  J  L  L  T  D  L  T  R  S  S  H
Z  P  E  S  P  D  N  O  J  H  E  S  F  C
C  R  R  E  R  B  D  G  K  I  I  A  J  D
T  R  U  M  P  E  T  F  A  A  R  I  E  L
```

Beauty AND THE BEAST

Word List

- WOLVES
- CUP
- WARDROBE
- CLOCK
- TEMPER
- CANDLESTICK
- PETAL
- BOOKS

- MADHOUSE
- BELLE
- LIBRARY
- BEAST
- DREAM
- BALLROOM
- DANCE
- ARMOIRE

Beauty AND THE BEAST

```
F N L L W C L O C K P A I J
G X B O O K S C U P Y R W U
Q V C X O Y X T J E J M O Z
O Y N A X E M K S T X O L Y
F R U M N A Q U Z P X I V E
W Q M E E D O S J B P R E J
A V U R N H L L T N E E S X
R P D X D R A E W E H A H A
D F B A Z T D Q S B M A S U
R V M V E S X E G T P P L T
O C H P D A N C E I I Y E T
B V F K B E L L E B N C T R
E J L I B R A R Y E W N K L
E H B A L L R O O M F Z L T
```

Aladdin

Word List

- THIEF
- EXPLORE
- THROWN
- HIDE
- WORLD
- JUMP
- RASOUL
- CELEBRATE

- POWERS
- BIRTHDAY
- PEDDLER
- ALLEY
- LAW
- ALADDIN
- ENGAGEMENT
- SUITOR

Aladdin

```
L P O W E R S C V B A E O W
A X T C K S F Q H I A N M D
W J H H L W D T X R L G C Y
M G I B U S V H F T A A B C
I J E H U Y W R Y H D G V C
I G F R K T P O R D D E I C
F V E U P C X W Q A I M P E
W G G M R M S N P Y N E E L
H R U S K U S P N U G N D E
N J W O R L D U L I X T D B
I N A L L E Y R I A A C L R
X H R A S O U L E T E O E A
E X P L O R E O W F O P R T
K R L Q H I D E H N B R X E
```

Sleeping Beauty

Word List

- HORSE
- RIDING
- GOWN
- SWORD
- RAVEN
- GLITTER
- PEASANT
- FLIES

- PALACE
- FINGER
- MOUNTAIN
- CAKE
- MAGIC
- BERRIES
- KINGDOM
- AURORA

Sleeping Beauty

```
M V K U B R G O W N R N U D
R F U B E D Z A E D J D J C
W H Q G G L I T T E R M F A
F W N F M K A A Z I K O L K
L I N V R A V E N O I U I E
F H O R S E G L K O N N E X
D X W F Q E L I S F G T S N
G G N J C D A E C X D A W R
O P I A R I I V X X O I Z I
J F L O F R N D H S M N V D
N A W M R K P E A S A N T I
P S G E L D I W D F J K D N
L U B N H C L A U R O R A G
X U B D H O M G B K K X E W
```

Snow White
and the Seven Dwarfs

Word List

- FOREST
- WELL
- TRAPPED
- DISGUISE
- SNOW WHITE
- CURE
- RIDE
- COUPLE

- MAID
- CHEERFUL
- LIGHTNING
- CASTLE
- GOLD
- CAPTIVATED
- GLASS
- ANIMALS

Snow White
and the Seven Dwarfs

```
D F O R E S T D V A G S H A
N G G T P Y R M Z F L H J T
A X C H E E R F U L A I T Q
V N O C S R I D E F S E U U
Y C I G A N H W C W S C D V
V A D M K P O M A I D U I L
J S D H A S T W X P T R S A
P T V E G L G I W W H E G Z
V L W Z X O S K V H I J U C
N E W P K E L I I A I T I U
C O U P L E Z D J G T T S T
I W E L L W N W S U H E E K
G T R A P P E D E I Q C D M
U U Q K Y L I G H T N I N G
```

Disney · Pixar

BRAVE

Word List

- CAKE
- SPELL
- QUEEN
- BEAR
- COTTAGE
- RUINS
- CHANGED
- INSIDE

- WISPS
- ANCIENT
- TABLET
- BROKEN
- PRINCE
- LEGEND
- MOR'DU
- WITCH

Disney · PIXAR
BRAVE

```
F Q L S P E L L U V P B D B
G L R I Y Z Z C I Z K K C B
I E F U G C X O U R K N H U
A G J A I U R T M F R A A G
H E H T U N E T O E M N N N
E N F U P G S A R G G C G N
K D C I Y R E G D P G I E K
R F A F R D I E U B W E D F
Z C K F I P U N K Q I N I T
U D E S M F L V C G T T A A
A S N W A Y T N R E C Q J B
L I D B B E A R Y S H I N L
Q U E E N E W I S P S G V E
B X B R O K E N P P K Y P T
```

Tangled

Word List

- RAPUNZEL
- GONE
- BROTHERS
- REVENGE
- INN
- FLOOD
- CAVE
- EUGENE

- SINGS
- GLOW
- HEALS
- KINGDOM
- LANTERNS
- TIARA
- CARE
- FLEE

Tangled

```
I N N G R E V E N G E B T E
D E C J G H P P P N P R N M
I Z W A O L M F K X B O U D
R Z L Z R U O H T H G T N P
G U A K P E M W E I W H J I
P X N I R H E O P A A E J A
S P T N G A Q U N F L R D A
I S E G H F P V G Y L S A N
N F R D P M A U U E S O Q Q
G B N O X J F M N R N C O P
S V S M C W Q L A Z B E D D
I U K Z U A M P E P E V J I
C A B H F P V S M E V L X C
J S M H R S U E N S U J M D
```

THE PRINCESS AND THE FROG

Word List

- CHARM
- CURSE
- KISS
- CHASE
- ESCAPE
- PROMISE
- TRUMPET
- SOUL
- PAYMENT
- HUMAN
- SPIRITS
- MAGIC
- TRANSFORM
- FORTUNE
- MONEY
- LOVE

THE PRINCESS AND THE FROG

```
D V Q Q J Z G S K G N V N F
T U P R O M I S E J T B U Y
P R M Z Q J T P A Y M E N T
S K A V C H A R M C H A S E
P I D N J F G F I U K D I D
I S P W S U O T O R K W N M
R S S Y E F R R P S H I F X
I U N H W S O K T E R M W Y
T J S Q U J C R A U Y O L S
S X U Z V M F A M K N N O W
S I M Z R L A Z P E Q E V R
C M A G I C L N B E M Y E G
W K A K C A H N J L T P W F
S O U L C W V T R U M P E T
```

MULAN

Word List

- PROTECTOR
- HONOR
- PLUM BLOSSOM
- DYNASTY
- INDEPENDENT
- SYMBOLIC
- PINE
- COMMANDER
- PALACE
- BLOOM
- MAGNOLIA
- BATTLEFIELD
- LING
- BAMBOO
- LEGEND
- ARMY

MULAN

```
A D Y N A S T Y T G A R M Y
X W B A T T L E F I E L D P
X M C K P A L A C E R M V L
B X O I F I Z P P I N E A U
J X M I N Y P N P Q R I B M
B L M E P D P B R I L A W B
A S A X R P E G L O U Q T L
M Y N L O O O P N O C I I O
B M D E T Z K G E H O S E S
O B E G E L A W A N R M C S
O O R E C M I A U O D Y U O
O L M N T H A N N P G E W M
Y I B D O R I O G D C S N X
T C F S R O H D B G R D N T
```

Word List

- ♥ TREES
- ♥ HUMMINGBIRD
- ♥ TRAILS
- ♥ FOREVER
- ♥ SURVIVE
- ♥ FOREST
- ♥ RIVER
- ♥ FLOWERS

- ♥ RACCOON
- ♥ FLIT
- ♥ POCAHONTAS
- ♥ ENGLAND
- ♥ MEEKO
- ♥ CREATURES
- ♥ INDIANS
- ♥ CANOE

POCAHONTAS

```
Y T R A I L S T E F I U M I
L N W L B H S C Z L H X G L
F O R E V E R A E O F X V P
F L I T R H T N N W I Y S O
V T S O Q U Y O G E N R U C
W R F W X M P E L R D Z R A
R E E Y F M F D A S I H V H
A E R M M I P E N P A T I O
C S I E W N E E D D N P V N
C B V E Q G M W I B S C E T
O E E K G B J O P W A N H A
O L R O N I I T A H N G C S
N D Q A C R E A T U R E S Y
Y C Z M F D J Q X M T L G Y
```

Cinderella

Word List

- SPELL
- GLASS
- SLIPPERS
- FOOTMEN
- RAGS
- ENJOY
- PUMPKIN
- DELICATE

- MIDNIGHT
- COURT
- MICE
- COACHMAN
- HORSES
- CINDERELLA
- GOWN
- BROKEN

Cinderella

```
F M O G H V E K F H I X M X
U A E I O B R O K E N F I F
J X K N B W W Y L C S S D O
X B D O J E N S Y I V Z N O
R F E W F O D L W N P Y I T
A R L W R X Y I J D U Q G M
G F I T L X G P D E M H H E
S K C J Q C V P S R P A T N
A Q A G N Q J E U E K B J Y
Q M T Q N Z E R R L I P U Q
X I E G L A S S S L N I X C
S C H O R S E S I A D F U I
E E V S D A P E S P E L L T
C O U R T M C O A C H M A N
```

THE LITTLE MERMAID

Word List

- TREASURES
- FATHER
- TRITON
- FRIEND
- GUPPY
- URSULA
- SING
- ERIC

- SHORE
- CURIOUS
- SHIP
- CHEF
- OCEAN
- BEACH
- LAND
- ARIEL

THE LITTLE MERMAID

```
V V A F D K V Z O G T M B R
S F Z A A R I E L U H B M L
R N Q T S H O R E R X Y G J
P W R H R C U R I O U S G F
D M F E E E R E Z F V G U F
P H K R Y N A S T Q E H P P
F L P U A V I S H R A W P P
L D K E R R L H U I I Z Y S
L K C A C S C A V R P T T S
C O G Y L A U K N L E O O I
D H I S E H X L B D F S H N
X M E B W S W P A N S J X G
S F H F Q D Z R M G R B P P
B I F M E R I C F R I E N D
```

71

Beauty AND THE BEAST

Word List

- SPELL
- LOVE
- SICK
- GASTON
- RESCUE
- ENCHANTED
- PROPOSAL
- CURSE

- PLOT
- BOND
- MOB
- BELLE
- MARRIAGE
- BEAST
- MANNERS
- BALCONY

Beauty AND THE BEAST

```
C F L C W K Q M O B M J E H
U S D H C S B E A S T S H G
R I Y I P C W F W F V P W J
S X S P R O P O S A L L P D
E N Y C V N O V E D B L T E
M A N N E R S G S Y L K P R
E N C H A N T E D E Q L L T
B G A S T O N G P V C B O V
E I G O K D B S C P T Z T D
L A A I M A R R I A G E B O
L B W J Q C A F P S M W Z D
E B A L C O N Y G D E F F T
K B O N D R E S C U E R G F
Y O W P R Z J F L O V E H E
```

Aladdin

Word List

- STREET
- GUARDS
- STEAL
- FREEDOM
- RUB
- LAMP
- DISGUISE
- PRISON
- DESERT
- PARADE
- COMMONER
- CAPTURE
- JEWELS
- BREAD
- JASMINE
- ALADDIN

Aladdin

```
E A J Y T I B K U N S D F D
S V F A T X P L I Y A O G O
T L R U S M A D N D R E R Z
R O E P A M D L J I H G P G
E M E L W A I M D S Z P R U
E M D L L U R N G G O A I A
T I O A H A U O E U C R S R
S Y M K I T B D C I O A O D
T N D D S Z W J A S M D N S
E L T E P F D E P E M E B H
A U Y S L T Q W T R O X R Q
L X W E U W U E U W N F E V
M G T R C S R L R B E H A N
M H Z T N N Q S E B R Y D L
```

Sleeping Beauty

Word List

- WOODS
- KISS
- WHEEL
- FULFILLED
- WEAKEN
- FIRST
- TRUE
- BURN

- STEFAN
- BIRTHDAY
- SPINDLE
- AWAKEN
- SIXTEEN
- AURORA
- LOVE
- ASLEEP

Sleeping Beauty

```
T T S U C Z X R G C S D K F
S P I N D L E L S W B U U T
E R G A O P J Q A H I Y X S
V N C W J N S T E F A N W A
Y F D A O T K C S D S F E G
C W H K X L S E H C N U A C
Z O O E O N U T F Z W L K D
F O A N R R R Y I S R F E P
K D I U T I N R R J M I N A
I S B N B E M A S J A L R U
S S I X T E E N T N D L I R
S M K W I M F L O V E E R O
B E A S L E E P T M U D D R
O F W H E E L C W W V I Z A
```

Snow White
and the Seven Dwarfs

Word List

- GUEST
- SEVEN
- BEDS
- COOK
- TRANSFORM
- POISON
- APPLE
- GRUMPY

- DOC
- SNEEZY
- DOPEY
- SLEEPY
- HAPPY
- BASHFUL
- DUNGEON
- SNOW WHITE

Snow White
and the Seven Dwarfs

```
C M X F R Y L P G V Y U P S
O R M W N L C D R R S D O N
O B E D S U Z L U L C O I O
K L B G U E S T M I W P S W
W N Y I J K Y X P Z X E O W
S D U N G E O N Y Y I Y N H
L G P D K B S R F S J L W I
E T R A N S F O R M E T F T
E F S I S O J Y J V M V K E
P B L Q E B Z Z P L G H E O
Y G E C N E H A P P Y Y C N
D Y O T E F R F E C O R K K
H D Z N J A P P L E H S L Z
R L S B E B A S H F U L I I
```

Word List

RING OF STONES

TAPESTRY

CLANS

FIGHTING

KING FERGUS

BEAR

HUNT

ESCAPE

CUBS

TRIPLETS

MOTHER

BATTLE

HUMAN

SPELL

BROKEN

FAMILY

Disney · PIXAR
BRAVE

```
C U B S P K B S B E A R T C
R I N G O F S T O N E S T Q
G B S Y L M T W K T F Q R B
P A S F B K N F P A I K I R
D T P E S C A P E O G I P O
X T E S I A Y Y Y F H N L K
H L L H B L R D E S T G E E
U E L G I T W R Y R I F T N
M I O M S T R U G G N E S H
A T A E D E O O O R G R D D
N F P T H K G Z V U G G I B
A A H T P J C L A N S U W H
T C O K Z F Q O X H J S D Y
B M N J S C E H U N T Z E K
```

Tangled

Word List

- ARREST
- MAXIMUS
- THUGS
- TIED
- GOTHEL
- KNIFE
- FLYNN
- HEAL

- CUT
- HAIR
- POWER
- FALLING
- CRYING
- UNITED
- KINGDOM
- MARRIED

Tangled

```
X L Y X K P N L C U T M V M
H D Q L D C R Y I N G W O D
D X M O H F L Y N N E D D K
I U X Y C A I A R P G E G J
F G X Z R H A D U N I U T Y
M A X I M U S E I R G N I B
T V T L K A F K R I O I E C
P C J E A I B A L L T T D N
Y D X L N R M J A K H E O N
O D M K R X R E L B E D I M
Y F B E N Q H E I R L D R X
Z O W D T H U G S B W I Y G
B O F A L L I N G T A G L O
P O W V Q R Q Y D H Z T V F
```

THE PRINCESS AND THE FROG

Word List

♥ FEELINGS	♥ MIDNIGHT
♥ CAPTURE	♥ CLOCK
♥ SMASH	♥ NEW STAR
♥ FOREVER	♥ TOGETHER
♥ FROG	♥ CELEBRATE
♥ MARRIED	♥ MILL
♥ PRINCESS	♥ RESTAURANT
♥ CHANGED	♥ BAND

THE PRINCESS AND THE FROG

```
V S G P K T O G E T H E R L
Q M L R V F O R E V E R I M
E A B I F K S J R Q F N X A
W S H N W I O Y G Y R E X V
F H O C W M T U F P O W V M
M E I E T K A V G X G S H I
S R E S T A U R A N T T H D
P M I S S B Y X R M P A K N
F H W P M U A C C I I R N I
K M F E E L I N G S E L I G
G C A P T U R E D Q N D L H
E K U C L O C K Z E Y B T T
K C E L E B R A T E F C X K
T X P D C H A N G E D U Q G
```

© Disney

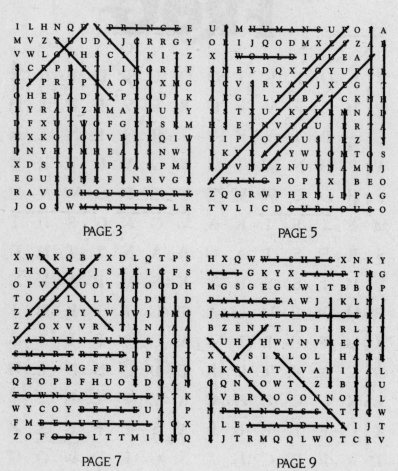

Answer Key

PAGE 3

```
I  L  H  N  Q  D  V  P  R  I  N  C  E  E
M  V  Z  S  U  D  A  J  C  R  R  G  Y
V  W  L  O  W  H  S  C  I     K  I  T  Z
S  C  R  P  E  T  I  I  N  C  R  I  F
C  F  P  R  I  P     A  O  I  O  X  M  G
O  H  E  D  A  D  I  T  P  I  O  U  P  K
I  Y  R  A  U  Z  M  M  A  I  U  I  Y
D  F  X  U  T  W  O  F  G  I  N  S  I  M
I  X  K  G     O  T  V  I  I  Q  I  W
I  N  Y  H  I  M  H  E  A  I  S  N  W
X  D  S  T  U  A  L  P  I  A  S  P  M  I
E  G  U  L  I  N  F     N  R  V  G  I
R  A  V  I  G  H  O  U  S  E  W  O  R  K
J  O  O  S  W  M  A  R  R  I  E  D  L  R
```

PAGE 5

```
U  I  M  H  U  M  A  N  S  U  R  O     A
O  R  I  J  Q  O  D  M  X  E     Z  A  I
X     W  O  R  L  D  I  H  U  E  A     T
S  N  E  Y  D  Q  X  T  O  Y  U  R  C  I
E  C  V  S  R  X  A  R  J  X  E  G     T
A  I  G     L  I  I  B  E  T  C  K  N  H
S     T  X  U  T  K  E  H  I  N  A  D
H  S  E  T  N  V  I  C  U  I  R  T  A
I  I  P     O  R  L  U  S  T  L  Z
L  K  Y  I  I  A  Y  W  I  O  M  T  O  S
I  D  V  N  E  Z  N  U  V  N  A  M  N  J
A  K  I  N  G     P  O  P  I  X     B  E  O
Z  Q  G  R  W  P  H  R  N  L  I     P  A  G
T  V  L  I  C  D  C  U  R  I  O  U  S  O
```

PAGE 7

```
X  W  E  K  Q  B  E  X  D  L  Q  T  P  S
I  H  O  F  E  J  S  I  I  I  C  F  S
O  P  V  V     U  O  T  I  N  O  O  D  H
T  O  G  L  L  U  L  K  A  O  D  M  I  D
Z  I  L  P  R  Y  T  W  S  V  J  P  M  G
Z  I  O  X  V  V  R  I  I  N  A  A  I
Y  A  D  V  E  N  T  U  R  E  S  S  G  S
S  M  A  R  T  R  E  A  D  I  P  S  I  T
P  A  P  A  M  G  F  B  R  C  D     N  O
Q  E  O  P  B  F  H  U  O  I  D  O  A  N
T  O  W  N  S  P  E  O  P  L  E     T  K
W  Y  C  O  Y  B  E  L  L  E  U  A  I  P
F  M  B  E  A  U  T  I  F  U  L     T  O  X
Z  O  F  O  D  D  L  T  T  M  I     N  Q
```

PAGE 9

```
H  X  Q  W  W  I  S  H  E  S  X  N  K  Y
A  L  I  G  K  Y  X  L  A  M  P  T  M  G
M  G  S  G  E  G  K  W  I  T  B  B  Q  P
P  A  L  A  C  E  A  W  J     K  L  N
J  M  A  R  K  E  T  P  L  A  C  E  I  A
B  Z  E  N  U  T  L  D  I     R  L  I  I
I  U  H  E  H  W  V  N  V  M  E  C  Y  A
X  I  A  S  I  I  L  O  L     H  A  N  I
R  K  C  A  I  T  R  V  A  N  I  A  L  L
C  Q  N  I  O  W  T  I  Z  I  B  I  G  U
I  V  B  R  R  O  G  O  N  N  O  I     L  U
N  P  R  I  N  C  E  S  S  I  T  T  G  W
I  I  E  A  L  A  D  D  I  N  I  I  J  T
I  J  T  R  M  Q  Q  L  W  O  T  C  R  V
```

Answer Key

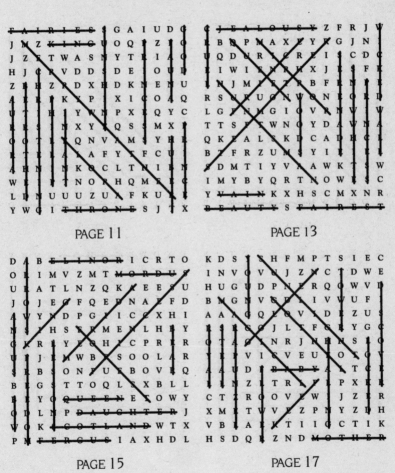

PAGE 11

PAGE 13

PAGE 15

PAGE 17

Answer Key

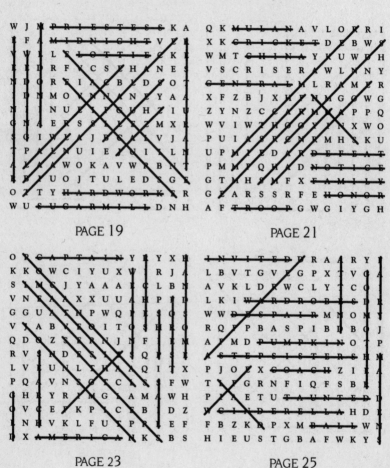

PAGE 19

PAGE 21

PAGE 23

PAGE 25

Answer Key

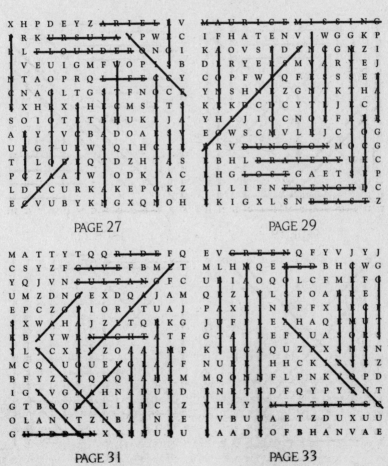

PAGE 27

```
X H P D E Y Z A R I E L L V
P R K U R S U L A V P W L C
B L F L O U N D E R O N C I
I V E U I G M F W O P L B
N T A O P R Q L F E C C Y
C N A C L T G T F N O C R
E X H R X S H L C M S L T E
S O I O T L T E H U K L J A
A L Y T V C B A D O A L S V
U E G T U R W S Q I H C L L
T I L O R L Q T D Z H T A S
P C Z A A T W I O D K L A C
L D R C U R K A K E P O K Z
E E V U B Y K N G X Q N O H
```

PAGE 29

```
M A U R I C E M I S S I N G
I F H A T E N V L W G G K P
K A O V S I D S N C G M Z I
D L R Y E L S M V A R Y E J
C O P F W Q F L S S E E E
Y N S H N L Z G N T K T H A
K L K R C D C Y T I J I C
Y H L J I O C N O L F L I L
E G W S C M V L L J C L O G
L R V D U N G E O N M O C G
L B H L B R A V E R Y U K C
L H G L O S T G A E T S E P
L I L I F N F R E N C H I C
L K I G X L S N B E A S T Z
```

PAGE 31

```
M A T T Y T Q Q R I D E F Q
C S Y Z F C A V E F B M L T
Y Q J V N S U L T A N G F C
U M Z D N O E X D Q A J A M
E P C Z Q P I O R L T U A J
L X W A H A J Z L T Q I K G
K B Y Y W L N I G H T A T F
L L Y C X L I Y Z O A A L M P
M C Q I U Q U E R C L A A F
B F Y Z S T Q R Q I A H L M
I G X V G M A H N A D U L D
G T B O O R L I I D C Z
O L A N Y T Z N B A N I E
G H I D D E N X E H U U U
```

PAGE 33

```
E V G R E E N Q F Y V J Y J
M L H M Q E R E D B H C W G
U R I A O Q O L C F M L F C
Q L Z I V L S P O A R R E
P A X L I N E F F X L L C I
J U F I L E X H A Q I M U T
G T A L L E F R U A S O L S
K Y U C A Q U Z R X S N S N
N U L R H H C K Y L Y Z
M Q O N N F L P N K Y O P D
I N L T B D F Q Y P Y R N T
V H A Y L M I S T R E S S G
V B U U A E T Z D U X U U
A A D I O F B H A N V A E
```

Answer Key

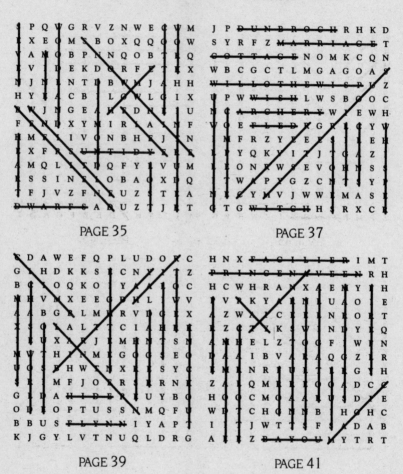

PAGE 35

PAGE 37

PAGE 39

PAGE 41

Answer Key

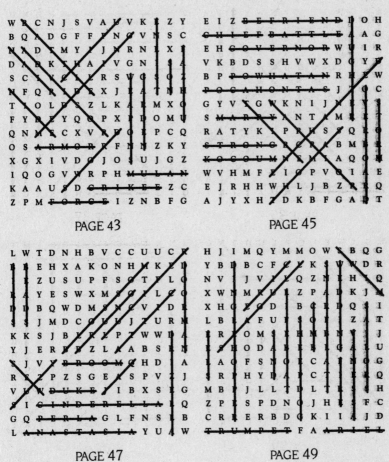

PAGE 43

PAGE 45

PAGE 47

PAGE 49

Answer Key

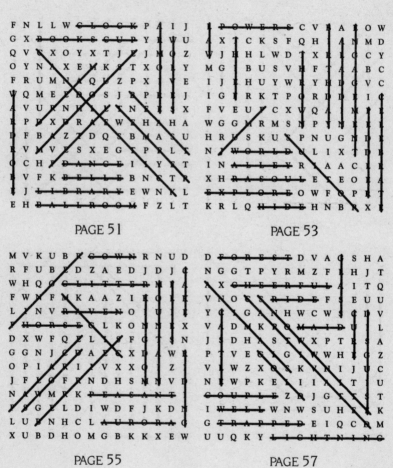

PAGE 51

```
F N L L W C L O C K P A I J
G X B O O K S C U P Y R U U
Q V C X O Y X T J Z J M O Z
O Y N X E M K S T X O L Y
F R U M N A Q U Z P X I V E
V Q M E E D G S J R P L J
A V U R N H U E N E S X
L P P X P R A E W E H A H A
D F B A Z Z D Q S B M A S U
L V M V E S X E G T P R L T
O C H P D A N C E I L Y E T
L V F K B E L L E B N C T
I J L I B R A R Y E W N K L
E H B A L L R O O M F Z L T
```

PAGE 53

```
L P O W E R S C V B A L O W
A X T C K S F Q H J A N M D
V J H H L W D T X R L C C Y
M G I B U S V H F T A A B C
I J L H U Y W R Y H D C V C
I G T R K T P O R D D L I C
F V E U P C X V Q A I M P L
W G G M R M S N P Y N R L L
H R U S K U S P N U G N D L
N J W O R L D U L I X T D L
I N A L L E Y R I A A C L L
X H R A S O U L E I E O R A
E X P L O R E O W F O P L T
K R L Q H I D E H N B R X L
```

PAGE 55

```
M V K U B R C O W N R N U D
R F U B E D Z A E D J D J C
W H Q Q G L I T T E R M L A
F W N F M K A A Z I R O L L
L I N V R A V E N O U L L
L H O R S E G L K O N N L X
D X W F Q E L L V F G T S N
G G N J Q P A L C X D A W L
O P I A R I L V X X O L Z
J F L Q F R N D H S M N V D
N X W M R K P E A S A N T
L S G E L D I W D F J K D N
L U R N H C L A U R O R A G
X U B D H O M G B K K X E W
```

PAGE 57

```
D F O R E S T D V A C S H A
N G G T P Y R M Z F L H J T
A X C H E E R F U L A I T Q
V N O S P R I D E F S E U U
Y C L G A N H W C W S C D V
V A D M K R O M A I D U L
J S D H A S L X P T R S A
P T V E C L R W W H R G Z
V L W Z X Q S K N I J U C
N R W P K E L I I A L T U
C O U P L E Z R J G L L S T
I W E L L W N W S U H E L K
G T R A P P E D E I Q C R M
U U Q K Y L I G H T N I N G
```

Answer Key

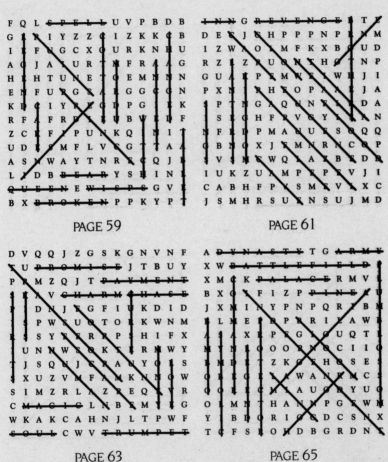

PAGE 59

PAGE 61

PAGE 63

PAGE 65

Answer Key

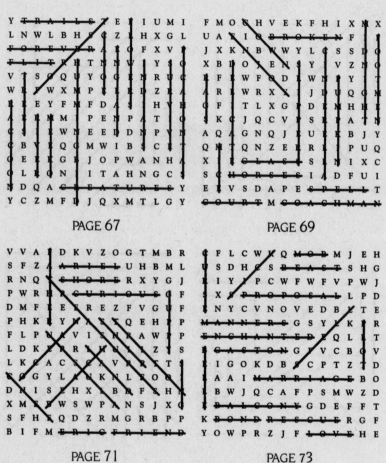

PAGE 67

PAGE 69

PAGE 71

PAGE 73

Answer Key

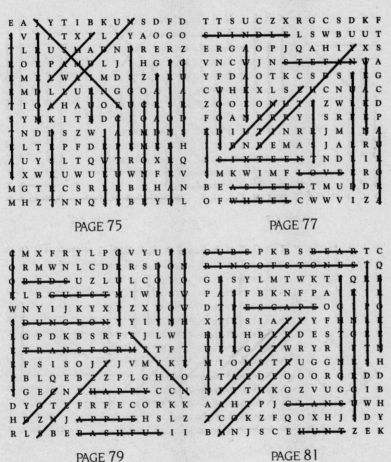

PAGE 75

PAGE 77

PAGE 79

PAGE 81

95

© Disney

Answer Key

```
X L Y X K P N L C U T M V M
H D Q L D C R Y I N G W O D
D X M O H F L Y N N E U K
I U X Y C A I A R P G E G J
F G X Z R H A D U N U T Y
M A X I M U S E R G N B
T V T L K A F R I O I C
P C J E X B A L T N
Y D X L N R M J K H O N
O D M K R X E L B I I M
Y F B E N Q H I R D X
Z O W D T H U G B W Y G
B O F A L L I N G A G L O
F O W V Q R Q Y D H Z T V F
```

PAGE 83

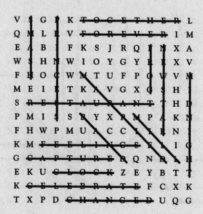

```
V S G K T O G E T H E R L
Q M L V F O R E V E R I M
E A B F K S J R Q N X A
W S H N W I O Y G Y X V
F H O C W M T U F P O V V M
M E I T K A V G X G S H
S R E T A U R A N T H D
P M I S S B Y X M P A K N
F H W P M U A C C I N
K M F E E L I N G S E I
G C A P T U R E B Q N A H
E K U C L O C K Z E Y B T T
K C E L E B R A T E F C X K
T X P D C H A N G E D U Q G
```

PAGE 85

96